Texte français: Agnès Inhauser

 Imprimé en Belgique. Loi n° 49-956 du 16 juillet 1949 sur les publications destinées à la jeunesse. Dépôt légal 3e trimestre 1992
ISBN 3 314 20758 1

Je peux t'aider, Saint Nicolas?

Une histoire pour la Saint-Nicolas
écrite par
Gerda Marie Scheidl
illustrée par
Jean-Pierre Corderoc'h

Editions Nord-Sud

Saint Nicolas ne s'est pas réveillé à temps. Vite il se met en route, mais il ne sait plus quel chemin prendre.
«Je crois que je vieillis, soupire-t-il, je me réveille trop tard, je ne trouve plus mon chemin et je fais attendre les enfants!» Il se frotte les yeux. Si seulement la nuit n'était pas aussi noire!
«Hé! Lune!» appelle-t-il. «Où te caches-tu? Tu ne veux pas m'éclairer ce soir?»
Saint Nicolas attend une réponse, mais la lune ne se montre pas. Elle doit somnoler quelque part derrière un nuage. Seules quelques étoiles scintillent au ciel.

«Je peux t'aider, Saint Nicolas?» demande un hibou du haut d'un arbre.
«Volontiers, répond Saint Nicolas, mais je ne sais pas comment.»
«Moi, je sais!»
«Toi?» demande Saint Nicolas sans y croire. Le hibou hoche la tête. «Je vois très bien dans le noir», dit-il en gonflant fièrement son plumage. «Je vais te montrer le chemin. Suis-moi! Houhou . . . !» Le hibou étend ses grandes ailes et s'élance dans la nuit.
Saint Nicolas hésite un instant, puis il se décide à suivre le hibou.

Saint Nicolas fait de grandes enjambées pour rattraper le hibou. La lune est enfin sortie de sa cachette. Au bout d'un moment Saint Nicolas s'arrête.
«Es-tu déjà fatigué?» s'inquiète le hibou.
«Non, je ne suis pas fatigué, mais j'ai faim», dit Saint Nicolas. «J'ai oublié de prendre mon petit goûter!»
«Veux-tu que je t'apporte une souris?» demande le hibou.
«Une souris? Pouah!» Saint Nicolas fait la grimace. «Je ne mange pas de souris!»
«Moi, j'adore ça!» dit le hibou. Au même moment il s'élance sur une petite souris qui s'approchait de Saint Nicolas.
«Arrête!» s'écrie Saint Nicolas en chassant le hibou d'un revers de la main. Celui-ci va se poser sur une branche sans oser récriminer.
Mais la petite souris n'a pas vu le hibou, elle n'a d'yeux que pour Saint Nicolas. Elle grimpe sur une souche d'arbre et le regarde avec étonnement.

«Je peux t'aider, Saint Nicolas?» demande-t-elle d'une voix pointue.
«Toi, m'aider?» dit Saint Nicolas en souriant. «Pourquoi pas? Après tout, j'ai très faim!»
La petite souris saute aussitôt dans la neige et disparaît sous un noisetier. Que cherche-t-elle? La revoilà déjà. Elle a entre ses pattes trois noisettes qu'elle roule jusqu'aux pieds de Saint Nicolas. «Pour toi!» dit-elle.
«Oh! Merci!» répond Saint Nicolas. Mais comment va-t-il les ouvrir? Qui pourrait bien lui venir en aide?

«Je peux t'aider, Saint Nicolas?» demande un écureuil qui sautille dans les branches d'un sapin.
«Oh oui!» dit Saint Nicolas. «Tu pourrais me casser ces trois noisettes.»
L'écureuil descend d'un bond et ouvre les noisettes en trois coups de dents. Saint Nicolas le remercie et croque les noisettes avec délice.
«Tu as assez mangé?» demande la souris.
«Et comment!» dit Saint Nicolas avec un grand sourire.
«Alors en route!» dit le hibou. «Il est temps de partir.»
«Je peux vous accompagner?» demande l'écureuil.
«Si tu veux!» dit Saint Nicolas.

«Et moi?» couine la petite souris.
«Toi?» dit le hibou en la regardant méchamment.
«Allons, allons . . . , dit Saint Nicolas, je vous emmène uniquement si vous me promettez de ne pas vous disputer. C'est promis?»
«Promis!» répondent en chœur la souris et l'écureuil.
La petite souris n'est pas très rassurée et elle se rapproche de Saint Nicolas.

«Et toi, hibou? C'est promis?» demande Saint Nicolas en le regardant sévèrement.
«Houhou . . . !» Le hibou bat des ailes. «Houhou ! ! ! Promis!»
Puis il s'élance entre les arbres.
Rassuré, Saint Nicolas le suit. L'écureuil saute d'arbre en arbre et la petite souris suit tant bien que mal. Elle n'a pas l'habitude de marcher dans la neige car normalement, à cette époque de l'année, elle hiberne.

«Je pourrais porter la souris dans mon bec!» propose le hibou d'une voix mielleuse. «Comme ça au moins elle n'aura pas froid aux pattes!»
«Oh non! s'écrie la souris, c'est bien trop dangereux! Je préfère m'accrocher au manteau de Saint Nicolas.» Elle s'agrippe au revers du manteau et se laisse tirer, tout en poussant des petits cris joyeux.

Soudain un vent glacé se lève et agite la cime des arbres. Saint Nicolas essaie de s'abriter derrière un rocher, mais cela ne sert à rien; le vent, glacial, souffle de tous les côtés. Saint Nicolas a froid partout. Il éternue. «Atchoum!»
«Je peux t'aider, Saint Nicolas?» fait une grosse voix. C'est un ours qui sort de sa caverne.
«Je ne vois pas comment!» dit Saint Nicolas en grelottant.
«Mais moi, je sais!» répond l'ours. «Viens dans ma caverne, il y fait bien chaud!»

«C'est très gentil de ta part, ours, dit Saint Nicolas, mais je n'ai pas le temps. Les enfants m'attendent et . . .»
«Mais si tu tombes malade tu ne pourras pas y aller du tout!» riposte l'ours.
«Tu as raison, répond Saint Nicolas, et les enfants seraient vraiment très déçus . . . J'arrive, mais juste pour un petit moment!»
Tous suivent l'ours dans sa caverne: Saint Nicolas, l'écureuil, la souris et le hibou. A l'intérieur il fait vraiment bon. Ils se pelotonnent tous contre l'ours, même la souris, après un moment d'hésitation. Ils ont tous bien chaud à présent!

Dehors le vent semble s'être calmé.
«Nous pouvons poursuivre notre voyage», dit Saint Nicolas. L'ours décide de les accompagner. Le hibou ouvre le chemin. Tout à coup il bat des ailes en criant: «Venez vite! Je vois des lumières, nous sommes presque arrivés!» Saint Nicolas fait de grands pas pour le rejoindre. «Enfin, nous . . .» Il n'a pas le temps de terminer sa phrase car il disparaît dans la neige profonde, ainsi que l'ours, l'écureuil, la souris et le hibou, qui, effrayé, est tombé de sa branche.

Que s'est-il passé? Ils sont tous tombés dans un trou! Ne dépassent de la neige que la capuche de Saint Nicolas, une aile de hibou, une oreille d'ours et une queue d'écureuil.
Qui pourrait bien leur venir en aide? Le renne! Le voilà justement, et à l'aide de ses grands bois il dégage les quatre malheureux. Mais où donc est la souris?

Saint Nicolas regarde le hibou d'un air sévère: «Tu ... tu n'as pas mangé la souris j'espère?»
«Houhou ... ! Tu me crois capable d'une chose pareille?» dit le hibou vexé. «Je sais tenir mes promesses, moi!»
Pendant ce temps l'ours renifle le sac de Saint Nicolas. Celui-ci ouvre le sac, et que voit-il? La souris, qui grignote tranquillement un pain d'épices!
«Mais ... mais ..., dit Saint Nicolas, personne n'a le droit de grignoter ces friandises! Elles sont pour les enfants! Vite, sors de là!»
La souris saute dans la neige et promet de ne plus recommencer.
«En route!» dit Saint Nicolas en fermant son sac.

Une pente raide les conduit au prochain village.
«C'est bien trop raide pour moi!» dit Saint Nicolas découragé.
«Monte sur mon dos, dit le renne, je t'emmène au village!»
«Et nous, nous t'attendrons ici», disent la souris, l'écureuil, l'ours et le hibou.

Saint Nicolas grimpe sur le dos du renne, et le voilà parti au galop vers le village, où l'attendent les enfants.
«A tout à l'heure!» a-t-il encore le temps de crier à ses quatre compagnons avant de disparaître dans les rues du village.